Un
de cr   me

Titre original : *Mrs Smith's Crocodile*

Publié en Grande-Bretagne par Macdonald Children's Book
(Simon & Schuster International Group),
pour la première édition, en 1989.

Pour Robert,
Christopher et Amy.

Loi n° 49-956 du 16 juillet 1949 sur les publications
destinées à la jeunesse.

Imprimé en France par Pollina, 85400 Luçon - n° 64208
ISBN 2-266-05787-1
Dépôt légal : janvier 1994.

Linda Dearsley

Un amour de crocodile

Traduit de l'anglais
par Pierre Girard

Illustrations de Franck Rodgers

Mme Pravout voulait un
compagnon.
Pourtant, Mme Pravout n'était
pas seule. Elle avait déjà une
perruche, qui voletait à travers
la pièce quand on ouvrait la porte
de sa cage. Mais la perruche ne
l'amusait plus du tout.

Elle avait envie d'un animal
un peu extraordinaire.
Un beau matin, elle se rendit
en ville et elle acheta...

...un bébé crocodile.

Ce crocodile-là n'était guère plus grand que la main. Il était couvert d'écailles vertes, et quand il ouvrait la gueule on apercevait deux rangées de minuscules dents blanches.

— Oh, comme il est mignon ! s'écria Mme Pravout. Je l'appellerai Crokinou.

Mme Pravout revint chez elle avec le crocodile et lui fit couler un bain dans l'évier, où il se mit aussitôt à nager.

Lucas, le petit-fils de
Mme Pravout, vint le voir, et
comme il tendait la main pour le
caresser, Crokinou le mordit.
— Grand-mère ! Ton crocodile
m'a mordu ! cria-t-il.
— Mais non ! dit Mme Pravout.
Tu as dû t'égratigner dans le
jardin. Crokinou ne ferait pas de
mal à une mouche.

Pourtant, depuis l'arrivée de
Crokinou, on ne voyait plus une
mouche, plus une araignée, plus
le moindre insecte dans la maison
de Mme Pravout...

Mme Pravout adorait son
Crokinou.
Elle lui fit un lit dans une boîte
à chaussures, avec de jolis petits
draps et une petite couverture.

Elle l'emmenait se promener

au bout d'une toute petite laisse,

et comme on ne vendait nulle
part de la nourriture spéciale
pour crocodiles, elle lui donnait

des aliments pour chats et pour
chiens qu'elle mélangeait avec
un peu de poisson.

Et Crokinou
grandissait,
grandissait.
Il fut bientôt
trop grand pour
sa boîte à
chaussures, et
Mme Pravout
lui confectionna
un lit dans une
caisse.

Il était aussi devenu
trop grand pour nager

dans l'évier, alors elle
lui offrit sa baignoire.

Et elle dut bientôt remplacer

sa petite laisse par une corde.

Un jour, Lucas vint voir sa
grand-mère. Il laissa s'envoler
la perruche à travers la pièce.
Crokinou regarda la perruche
puis, comme elle passait près de
lui, il ouvrit la gueule et, hop!
l'avala tout entière.

— Grand-mère ! s'écria Lucas,
ton crocodile vient de manger
la perruche !
— Mais non, dit Mme Pravout,
elle a dû s'envoler par la fenêtre.
Crokinou ne ferait pas de mal
à une mouche.

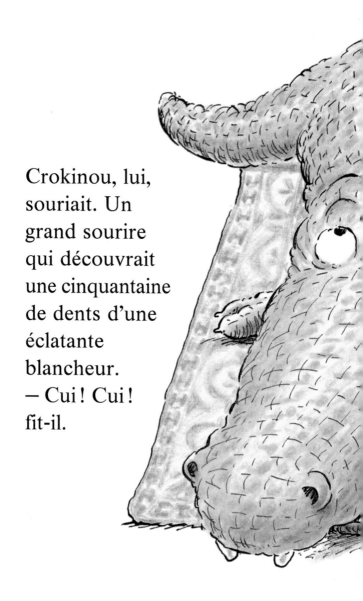

Crokinou, lui,
souriait. Un
grand sourire
qui découvrait
une cinquantaine
de dents d'une
éclatante
blancheur.
— Cui ! Cui !
fit-il.

Et le crocodile
grandissait,
grandissait...
Quand il
devint trop
grand pour
son petit lit,
Mme Pravout
l'installa dans
le sien.

Et comme il ne tenait pas non plus dans la baignoire, elle lui creusa un bassin dans son jardin, et elle remplaça la corde par une grosse chaîne.

27

Un jour, alors que Crokinou se
prélassait dans son bassin, le chat
de la voisine vint à passer.
Crokinou le regarda et, comme
il s'approchait, il ouvrit la gueule
et, hop ! l'avala d'un seul coup.

28

— Madame Pravout ! s'écria la voisine, votre crocodile vient de manger mon chat !

— Mais non ! dit Mme Pravout, votre chat a dû se cacher quelque part dans la maison. Crokinou ne ferait pas de mal à une mouche.

Crokinou souriait.
Un immense sourire,
qui découvrait une

centaine de dents
d'une éclatante blancheur.
— Miaou ! fit-il.

Et le crocodile grandissait, grandissait... Bientôt, il fut trop grand pour le lit de Mme Pravout et il dut dormir dans l'entrée de la maison.

33

Il devint,
aussi, trop
grand pour
le bassin.
Mme Pravout
prit l'habitude
de l'arroser
au tuyau, et
remplaça la
chaîne par un
énorme câble.

Un jour qu'ils
étaient dans un
jardin public,
un chien vint
à passer, qui
poursuivait
un ballon.
Crokinou
regarda le
chien, et
comme il
s'approchait,
il ouvrit la
gueule et, hop!
l'avala tout
entier.

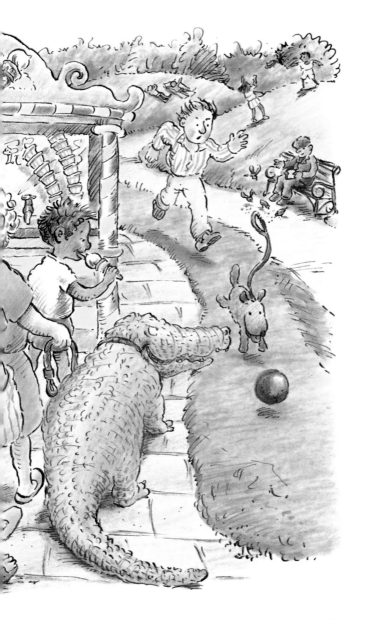

— Dites donc,
madame ! s'écria
le maître du
chien, votre
crocodile vient
de manger mon
chien !

— Mais non ! dit
Mme Pravout,
votre chien a dû
se sauver.
Crokinou ne
ferait pas de mal
à une mouche.

Crokinou souriait. D'un énorme sourire qui découvrait deux centaines de dents d'une éclatante blancheur.

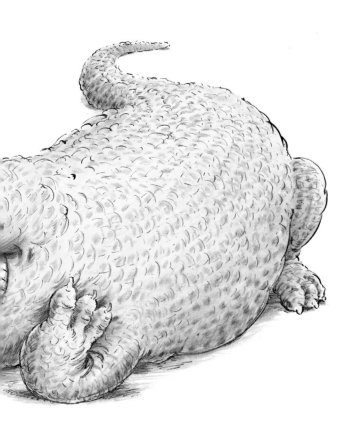

— Ouah ! Ouah ! fit-il.

Et le crocodile grandissait,
grandissait...
Il était devenu plus grand que
la maison, et lorsqu'il dormait,
sa tête dépassait d'un côté,
et sa queue de l'autre.

Il devint même trop grand pour aller dans le jardin, et
Mme Pravout prit l'habitude de lui faire sa toilette avec une éponge humide.
Et elle ne pouvait plus l'emmener en promenade.

Puis un jour, Lucas, le petit-fils
de Mme Pravout, vint la voir
à l'heure du goûter.
— Grand-mère ! appela-t-il.
Mais personne ne répondit.

Dans la maison, il n'y avait que
Crokinou.

Et Crokinou souriait. Son sourire
était le plus gigantesque qu'on ait
jamais vu.
— Il ne ferait pas de mal à une
mouche, dit-il.

Puis il regarda Lucas, ouvrit la gueule, et...

Lucas s'enfuit à toutes jambes.